Môr-Ladron yr Ardd

stori wirion gan

Ruth Morgan a Chris Glynn

addasiad Bethan Gwanas

Gomer

Cyhoeddwyd gyntaf yn 2012 gan Wasg Gomer, Llandysul, Ceredigion SA44 4JL www.gomer.co.uk
ISBN 978 1 84851 491 1

Dymuna'r cyhoeddwyr gydnabod cymorth Cyngor Llyfrau Cymru.

Llong yr 'Ych-a-fi' oedd y llong dristaf i hwylio'r moroedd erioed.

Roedd y môr-ladron arni mor ddigalon â
gwymon gwlyb am mai'r cwbl oedd ganddyn
nhw i'w fwyta oedd bisgedi â blas baw ci.
Ych-a-fi! Ond, pam oedden nhw'n bwyta
pethau mor ffiaidd? Wel, am fod Capten Cranc
yn mynnu hynny.

Hen grinc annifyr oedd Capten Cranc.
Tra bod y môr-ladron yn bwyta dim ond bisgedi
ych-a-fi, byddai ef yn gwledda ar basteiod octopws
a chacennau cathod môr blasus.

Capten Cranc oedd y bwli mwyaf yn y byd i gyd yn grwn.
Doedd dim yn well ganddo na

GWEIDDI ar y môr-ladron,

taflu bisgedi atyn nhw

... a chicio'u bwcedi dros bob man.

Yr unig bryd roedd Capten Cranc yn hapus oedd pan fyddai ar ei ben ei hun yn ei stafell yn cyfrif y mynydd o aur a'r gemau gwerthfawr yr oedd wedi'u dwyn.

Un diwrnod, glaniodd y môr-ladron ar ynys.
Roedd map trysor gan Capten Cranc. Roedd yn
siŵr y byddai'n dod o hyd i fwy o drysor yn y man
a nodwyd gan X.

Daeth y criw o hyd i'r man ar y map.
'Tyllwch, y tyrchod!' gwaeddodd Capten
Cranc, 'neu mi dafla i fisgedi atoch chi!'
Ond fe daflodd nhw'r un fath.

Ond o diar! Pan godon nhw'r gist, nid aur oedd ynddi ond pecynnau o hadau, bagiau o bridd ac offer garddio.

Roedd Capten Cranc mor flin, bu bron iddo ffrwydro.
Bu'n rhaid i dri môr-leidr ei gario'n ôl i'r llong.

Sylwodd neb ar Gwen y forwyn fach yn llenwi
ei phocedi â phecynnau, yn rhoi'r pridd dan ei
dillad ac yn cuddio rhawiau yn ei sgidiau.

Yng ngwaelod y gist, roedd un hedyn
rhyfedd iawn yr olwg.

Cuddiodd Gwen yr hedyn hwnnw o dan ei het.

Yn ôl ar ddec yr 'Ych-a-fi', aeth Capten Cranc i bwdu yn ei stafell.

Dringodd Gwen i fyny at y nyth brân. Drwy'r prynhawn, llanwodd rhyw hen botiau gyda phridd a chydig o hadau, gan ganu:

'Io-ho-ho! Io-ho-ho!

Potiau llawn blodau ar ein to-ho-ho!'

Yna, eu dyfrio a'u gadael yn yr heulwen.

A hithau bron a gorffen, cofiodd am yr hedyn
siâp penglog ac esgyrn rhyfedd. Llanwodd ei het
â phridd a gwthio'r hedyn i mewn iddo.

Gwenodd yr haul a disgynodd y glaw.
Ymhen dyddiau, daeth planhigion i'r golwg.

Gwenodd yr haul a disgynodd y glaw eto.
Tyfodd y planhigion yn fwy a dechreuodd llysiau
bychain dyfu arnyn nhw.

Aeth Gwen â rhai o'r llysiau at Cogydd.

'Beth yw'r rhain?' gofynnodd hwnnw.

'Ssshhh,' meddai Gwen. 'Rhowch nhw i'r môr-ladron i ginio – ond dim gair wrth Capten!'

Gwnaeth Cogydd gawl gyda'r llysiau.

Roedd y môr-ladron wrth eu bodd.

'Dyw hwn ddim yn ych-a-fi!' medden nhw.

'Ssshhh, dim gair wrth Capten,' gwenodd Cogydd.

Tyfodd planhigion Gwen yn rhy fawr i'r nyth brân. Roedd
yno fôr o foron a thatws, tomatos mawr melys a chennin hir, tew
a ffa'n dringo'r mastiau. Felly un noson, pan oedd Capten Cranc
yn ei wely'n breuddwydio pethau cas, helpodd y môr-ladron hi i'w
rhoi mewn bareli . . . mewn rhaffau . . . ac mewn tyllau gynnau.

Yn y diwedd, dim ond un planhigyn oedd ar ôl
yn y nyth brân sef planhigyn y benglog a'r esgyrn.
Drwy lwc, doedd Capten Cranc ddim wedi sylwi
ar ddim am ei fod yn dal i bwdu yn ei stafell.

Yna un bore, cododd Capten Cranc yn hwyr. Credai ei bod hi'n ganol nos am fod ei stafell mor dywyll. Yna sylwodd bod rhywbeth yn cuddio'r heulwen. Beth allai fod?

Brysiodd Capten i fyny i'r dec a chael coblyn o fraw! Roedd y llong yn llawn llysiau a'r môr-ladron yn brysur yn dyfrio a chwynnu.

'Io-hof-hof! Io-ha-ha!

Mae'n llysiau ni wedi tyfu'n dda!'

'RHOWCH Y GORAU I'R HOLL
ARDDIO'R EILIAD 'MA!' rhuodd
Capten Cranc.

Rhedodd at y mast
a malu'r ffa.

Cododd y moron a'r
cennin a'u taflu i'r môr.

Yna dechreuodd daflu tomatos gan wneud
i'r môr-ladron grio a gwingo.

Yn sydyn, daeth twrw mawr
o'r nyth brân. Edrychodd pawb
i fyny.

Llithrodd coesyn rhyfedd
i lawr y mast.

'Planhigyn y benglog a'r
esgyrn!' meddai Gwen mewn
braw.

Cydiodd y coesyn yn Capten Cranc, ei godi a'i
wasgu a chwalu ei fisgedi'n flawd. Saethodd
blodyn siâp penglog ac esgyrn allan a gwenu arno
mewn ffordd fileinig ofnadwy.

'Helpwch fi!' gwaeddodd Capten Cranc.
'Dim ond os cawn ni gadw'r ardd,' meddai Gwen.
'A bwyta ein llysiau ni,' meddai Cogydd.

'A DIM MWY O FOD YN GAS A THAFLU BISGEDI BLAS BAW CI!' gwaeddodd y môr-ladron i gyd.

'Iawn, iawn!' gwichiodd Capten Cranc.

Erbyn hyn, mae gan long yr 'Ych-a-Fi' enw newydd: yr 'Iym-Iym'. Mae'r môr-ladron yn mwynhau eu garddio a'u llysiau ffres a blasus. Gwen yw'r capten newydd a Cranc yw'r gwas bach. Chaiff o byth daflu bisgedi blas baw ci at neb eto!

Ac os fydd o'n meiddio, mae'n gwybod be fydd yn digwydd . . . rhywbeth afiach . . . rhywbeth hynod ych-a-fi!